KB075666

검도유랑기

초단 여정 (상)

검도유랑기 - 초단여정(상)

발 행 | 2024년 1월 22일
저 자 | 사야
펴낸이 | 한건희
펴낸곳 | 주식회사 부크크
출판사등록 | 2014.07.15.(제2014-16호)
주 소 | 서울특별시 금천구 가산디지털1로 119 SK트윈타워 A동 305호
전 화 | 1670-8316
이메일 | info@bookk.co.kr

ISBN | 979-11-410-6776-2

www.bookk.co.kr

검도유랑기

초단 여정 (상)

사 야 지음

목 차

머 리 말

난생 처음으로 유단자가 될 꿈을 가졌다. 이렇게 몸을 움직이는 것에 욕심나는 것도 처음이다. 잘 안 되는 것이 있으면 계속 도전해서 해내고 싶다. 내가 관장님의 모습을 보고 동경했던 것처럼, 나도 누군가에게 동경을 받는 사람이 되고 싶다. 타격이 약하다는 말을 들으면 강하게 만들고 싶고, 깊게 들어와도 놀라지 않으려고 하고, 눈을 계속 보며 손목을 치고 싶다. 느리면 빨라지고 싶고, 정확하지 않으면 정확해지고 싶다.

나 자신에 대한 승부욕이라고 할까. 비교 대상은 언제나 몇 달 전의 나였다. 몇 달 전보다 지금이 훨씬 좋아졌다는 이야기에 가장 기뻤다. 시합에서 이긴 것보다 훨씬 더 좋았다. 나는 느리지만 꾸준히 발전하고 있다. 이것만큼 동기 부여가 되는 것이 뭐가 있을까. 특히 지적 받은 부분을 고쳤을 때 정말 뿌듯했다. 그렇게 바르고 정확하게 다듬어 나간다.

이 모든 글은 초단을 향한 여정이다. 누군가 검도가 하고 싶어 망설일 때, 나의 고민과 발전상과 마음가짐을 전해 주고 싶다. 그렇게 해서 운동이라고는 전혀 연이 없을것 같은 사람이 유단자가 되었다고, 그만큼 검도는 매력적이라고 보여주고 싶다.

검도… 좋아하세요?

제1화 버티는 사람이 강해진다

2020년에 정신병원에 두 달 정도 입원했을 때, 매일 새벽 6시에 일어나 밤 9시에 자는 생활을 반복했다. 정신병원 퇴원 후에도 일찍 자고 일찍 일어나는 생활을 지속했지만 검도 시작하기 몇 달 전부터는 점점 일어나기 힘들고 낮잠도 많이 잤다. 뜨개 작품 제작의뢰가 들어오면 한 줄이라도 더 뜨기 위해 안간힘을 써야했다. 한 줄만 더, 아니... 자고싶은데, 그래도 한줄 더... 이런 식으로 나와의 싸움을 해야했다. 집중력도 한계가 왔다. 그런데 운동할 생각은 전혀 없었다. 걷는 것은 좋아해서 걷기를 하긴 했지만 점점 무거워지는 발과 피곤함은 극복되지 않았다. 그때서야 안 것이다. 체력이 없으면 아무것도 안되는구나. 나는 체력이 부족하구나.

그러던 차에 유튜브를 뒤적이다가 김민경이 검도하는 모습을 본 것이다. 짙은 감색 도복, 갑옷 같은 호구, 내지르는 기합. 왠지 나도 할수 있을 것 같았다. 김민경은 곧잘 했지만(그 사람은 모든 운동을 잘하는 사람이니까) 나는 한참 걸리겠지? 그래도 처음부터 잘하는 사람이 어딨어. 어차피 집에서 운동하는거 밀어준다는데 한 번 말이나 해볼까? 그렇게 나의 검도관 찾기가 시작되었고, 내가 사는 곳에는 검도관이 딱 세 개 있었다. 집에서 그나마 가까운 곳을 찾아 문의를 했다. 의외로 검도관 등록비는 한달 13만원으로 비싸지 않았고, 내가 운동을 너무 안해서 트레이닝복마저 없다는 사실을 관장님께 고백하면서 도복과 죽도를 구입했다. 죽도는 그럭저럭 빨리 왔지만, 도복은 바로 입지 못했다. 내 사이즈만 없어서 늦게 온다고 했다. 나는 그나마 제일 편한 옷을 입고 연습을 해야 했다. 도복 처음 입었을 때 진짜 기뻐서 어떻게 연습했는지 기억도 나질 않는다. 도복 입고 거울 앞에 선 내가 정말 멋있었다는 기억 뿐.

처음 1주일은 정말 아무것도 못했다. 검도를 하는데 일주일에 다섯 번을 나가고 있으니, 정말 죽을 것 같았다. 너무 힘들었다. 뜨개도, 디즈(중국의 관악기)도, 단소도 못 불었다. 공연 제의가 들어왔는데 '너무 힘들어서' 거절했다. 관장님이 중단! 외칠 때마다 후들후들 떨면서 어설프게 중단세를 취했다. 그런데 슬슬 욕심이 나기 시작했다. 내가 조금 더 운동하면, 체력도 좀 빨리 길러지지 않을까? 연습을 더 하면, 자세도 더 좋아지지 않을까? 그렇게 집에서 쓸 죽도를 몰래 사고 새벽 운동을 시작했다. 그때부터 나의 하루는 새벽 5시 반부터 시작되었다. 30분 준비를 하고 6시부터 아파트에 있는 적당한 장소에서 어제 배운 것들을 연습했다. 검도관에서 하던 것처럼.

2동작 머리치기 준비!

머리, 하나.
머리, 둘.
머리, 셋.
머리, 넷...

1동작 머리치기 준비!
하나, 둘, 셋, 넷...

빠른머리치기 준비!
하나, 둘, 셋, 넷...

물론 검도관에서 하던 것처럼 크게 내지르지는 못한다. 적당히 나에게 들릴 정도로, 속닥 속닥 읊조리며 연습을 했다. 여전히 중단세는 어색했고, 죽도 파지법은 머리치기 몇번 하면 틀어져서 매번 고쳐잡아야 했으며, 스텝은 빠르게 하면 꼬여버렸지만, 그래도 했다.

어느날, 관장님은 내가 잘 따라오고 있다고 하셨다. 50%만 따라와도 잘하는건데, 70%는 따라오는것 같다고 말씀하셨다. 시키면 곧

잘 따라한다고 했다. 그걸 두고 그게 정말일까, 나는 운동이란걸 지독하게 싫어하던 사람인데. 그런데 좋은게 좋은거라고, 내가 못한다는 소리 듣는것 보다는 듣기 좋으니 그냥 그대로 믿기로 했다. 나는 시키면 잘 따라하는 사람이다. 그러니 조금만 더 연습하고 버티면 더 잘 할 수 있다!

관장님께서는 열 번 하자고 하고 스무 번을 시키고, 스무 번 하자고 하고 서른 번을 시켰다. 나는 군말 없이 따라갔다. 내가 땀흘리는게 좋았고, 힘든게 좋았다. 몸을 움직이고, 관장님이 대고 있는 죽도를 내 죽도로 치는 소리, 타격대 치는 소리가 정말 좋았다. 기합을 내지르고, 죽도 소리가 팡! 터지고, 발구름이 제대로 되어 도장이 쿵! 울리는 소리는 정말이지 너무나 멋있었다. 그리고 이걸 내가 점점 해내고 있다는 사실이 갈수록 벅차올라서 허벅지와 종아리가 터질 것같아도 멈출 수가 없었다. 관장님의 자세가 멋지다고 감탄하면서 '나도 저렇게 되고 싶다' 는 생각을 수도 없이 했다. 검도관을 처음 갈 때에는 내가 검도가 '재미있어서' 계속 하게 될 것이라고는 생각하지 못했다. 처음엔 어릴적 검도를 하고 싶었던 기억으로, 또 1년 가까이 집에서 뜨개만 하다 줄어든 체력, 다이어트가 목적이었다. 첫날 등록하면서 어설프게 검도발에 중단세를 취할 때까지도 나는 내가 이렇게 검도에 재미를 붙일 것이라고는 상상도 못했다.

"이제 호구 씁시다."

9월이 끝나갈 즈음, 관장님께서는 호구가 오는데 일주일은 걸리니까 미리 주문을 하자며 호구 이야기를 꺼내셨다. 나는 일주일동안 마음의 준비를 하면 되겠다 싶어 그러겠다고 했다.

10월 첫날, 머리 사이즈를 세번 잿다. 그리고 호구 세트와 명패, 10월 등록비까지 내니 약간 부담이 가긴 했지만, 나는 이런 개인적인 장비를 쓰는데 남이 쓰던걸 정말 쓰고 싶지 않았고, 길들이는 것을 좋아하기에 그냥 6개월 할부를 끊어버렸다. 그리고 내가 몸을 푸는 동안 관장님은 어쩐지 한참 통화를 하셨다.
그리고 다음날, 검도관에 들어서는데 커다란 박스가 하나 놓여있었다. 관장님께서 뭔가 주문하셨나보지? 하고 무심하게 들어가 도복을 갈아입고 나왔더니 관장님께서 날 불렀다. 호구가 왔단다.

주문한지 하루만에 호구가 도착했다.

"우리 선수가 쓸거라고 해서 좀 빨리 달라고 했어요. 이렇게 빨리 온 건 처음이네요. 아무리 빨라도 이틀에서 삼 일은 걸리는데.. 호면이랑 갑상은 정말 좋은거네요. 진짜 선수용으로 준것 같아요."

좋은 것은 둘째치고 이렇게 빨리 호구를 쓰게 될 줄은 몰랐어요. 저는 아직 마음의 준비가.. 하지만 나보다 더 신나서 호구 포장을 뜯고 있는 관장님을 보고 있으니 그냥 같이 신나하기로 했다. 호면

이랑 갑상이 진짜 괜찮네요, 계속 신나서 이야기 하시는 것을 보니 정말 좋긴 좋은가보다. 하긴, 갑상 박음질이 다른 호구랑 뭔가 달랐다. 다른건 일자로 되어있는데 내건 사선으로 되어 있었다. 모양 좀 잡아주니 진짜 사무라이 갑옷 같았다. 일단 관장님께서 호구 착용을 도와주셨고, 갑과 갑상을 입고 호완을 끼니 정말 검도하는 사람 같았다. 아니 이미 검도하는 사람이지만, 이제 진짜 검도의 세계에 발을 들인 것 같았다. 면수건 접는 방법을 배웠고, 호면까지 쓰니 다 새것이라 움직임은 로봇 같았지만 모습 하나 만큼은 멋있었다. 내 호구가 생겼다. 이제 더 빠져나올 수 없는 것이다!

내가 가는 시간대에는 거의 초등학교 저학년 학생들이 온다. 정말 올망졸망한 학생들이 온다. 그런데 그 학생들은 거의 검도를 나보다 몇배는 더 했던 선배들이다. 처음으로 호구를 나 스스로 착용하고 초등학생들과 연습시합을 하는데 나는 계속 맞고 맞았고 또 맞았다. 눈을 보고 있으면 내 빈틈을 노리는 모습이 매섭다. 자세도 훨씬 절도있고 멋있다. 나는 또 이렇게 겸손함을 배우고 겸허해지게 되었다. 그래서 나는 '검린이'라는 말을 싫어한다. 이건 다 초등학생 검도인에게 맞아보지 않아서 그런 말을 하는 것이다. 나는 못하는걸 저 선배들은 한다. 나보다 먼저 시작하면 무조건 선배인 것이다. 그런데 '검린이'라니? 검도하는 어린이들에게 죽도로 계속 맞아봐야 안 쓰게 되려나?

호구가 온 다음부터는 호구에 적응하고, 저녁반에도 가보기로 했다. 저녁반에서는 호구를 쓰고 연습하고, 중고등학생부터 성인까지 다양하게 있었다. 저녁반은 화요일, 금요일에 가기로 했다. 처음으로 저녁에 갔을 때에는 정말 죽을만큼 운동했다. 10월의 저녁이라 선선했는데도 검도장 안은 사람으로 꽉 찼고, 기합소리는 그보다 차고 넘쳤으며, 온도는 후끈해서 땀이 주룩주룩 났다. 금요일은 항상 연습시합을 하는데 나는 같은 성인부 여성분과 연습시합 할때, 한대도 못치고 막아내기만 하다가 끝났다. 다음에는 꼭 한대 치자고 다짐했다. 같은 성인부 여성분은 탈의실에서 나를 칭찬하셨다. 나는 한달 됐을때 아무것도 몰랐는데 정말 빠르네요, 이런 이야기를 하면서 날 칭찬해주셔서 나는 쭈뼛쭈뼛하며 어색하게 웃기만 했지만 기분은 좋았다.

언젠가 관장님께서 그런 이야기를 하셨다. 버티면 강해지는거라고. 초등학교 저학년 학생과 그 안에 섞여있는 나. 그 어린이들과 나에게 힘들어도 버티고 하면 강해진다고 이야기를 하셨다. 한달을 버틴 나는 어느새 중단세가 익숙해지고 있고, 머리치기 자세가 조금씩 안정되고 있었다. 체력이 어느정도 붙어 이젠 새벽 운동을 해도 자세와 타격을 정말 빠르게 하지 않으면 심박수가 많이 올라가지도 않는다. 엄마는 나에게 자세가 달라졌다하고, 할머니 장례식에서 오랜만에 만난 친척들은 나보고 키가 커졌다고 했다.

나는 이제 죽도를 들지 않으면 몸이 뻐근해서 참을 수가 없다. 나에게 토요일, 일요일은 쉬는 날이 아니라 검도관 가는 날만 손꼽

아 기다리는 날이 되었다. 검도가 정말 재미있다. 이제 과체중의 몸무게도, 울퉁불퉁한 살도 아무 의미가 없어졌다. 운동하는게, 내 몸이 움직이는게, 점점 절도있는 자세가 되어가는게 재미있고 멋지다. 물론 근육량이 느는것도 보여서 이것만큼은 체크를 주기적으로 하며 즐거워하고 있다. 왜 맞는 운동을 난 어렸을 때 알았으면서 못했을까, 조금 더 일찍 갔으면 어땠을까, 그런 생각이 가끔 들기도 하지만, 뭐 어때? 지금을 즐기는거다. 정확하고 간결하며 깔끔한 자세와 타격, 방어를 할수 있는 그때까지, 나는 계속 버티고 버텨서 강해질 것이다.

제2화 포기하면 지는 것이다

거의 매일 30개, 20개, 50개씩 끊어서 빠른머리치기 100개 치고 다른 어린이들과 50개 더 쳤다. 이제 나는 자세가 거울로 봐도 그럭저럭 멋있어(?)졌다. 중단세에서 흔들림이 거의 없어졌다. 연격에서 팔이 안 올라가는 것이 문제. 호면 날개가 길들여지지 않아서 조금 힘들다. 역시 호면을 길들이려면 도장에 자주 나가야 하는 건가(사실 지금 주 5회 나가고 있으니까 더 나가는건 날 혹사시키는거나 마찬가지일지도?).

그렇게 승급심사 연습을 하고 마치기 전 관장님과 시합 연습을 했다. 결과야 뻔하지 않나. 눈 뜨고 맞기는 여전히 힘들고(그래도 나름 눈 뜨고 죽도 날아오는걸 보려고 노력은 했다), 관장님 공격은 머리 막으면 손목 맞고 뭘 어찌 더 막으면 다른데를 맞았다. 그래도 나름대로 틈을 만들어 보려고 노력했고 틈이 보이면 바로 치고 나가려고 했다. 그 노력이 나름 빛을 발했는지, 관장님께서 마치면서 이제는 치려는 의지가 보인다고 하셨다. 전에는 치라고 해야 쳤었는데, 이제는 망설이는게 덜 하다고, 쳐 보려고 시도를 많이 하는 것이 좋아졌다고 하셨다. 육체적인 것은 하다 보면 늘게 되는데, 그런 의지는 마음에서 나와야 한다고 하셨다.

나도 느꼈다. 전에 우당탕쿵탕 맞은 이후로 맞더라도 한 대는 때리고 맞자는 생각이라던가, 나에게 실망한 만큼 더 치려고 하는 나 자신을 발견한 것이다. 이 마음이 일어난 것이 거의 50일만에 일어난 일이다. 급이니, 단이니 이런 것들, 심사라는 것을 살면서 한 번도 안 받아 본 사람이 이제는 초단을 따고 싶어 근질근질, 다른 것을 더 배우고 대련에서 이기고 싶어 근질근질 한다. 마음도 강해졌다는 느낌이 든다. 내 안의 무언가가 단단해진 느낌.

승급심사는 합격! 이제 검도 5급이 되었다. 요즘 제일 많이 연습하는 것은 작은 동작들. 작은 머리치기, 손목치기 등이다. 연타 연습도 했고, 연격은 매일, 2동작 머리치기, 1동작 머리치기, 빠른머리치기는 이제는 몸 푸는 기본기가 되었다. 이제 호완도 많이 길들어서 죽도를 잡으면 부드럽게 잡히고, 이제 호면 날개만 길이 들면 좋겠다. 호면 날개가 아직 뻣뻣해서 팔 올릴 때 조금 불편하긴 하다. 갑과 갑상은 매일매일 입었더니 금방 길들었다. 사실 난 원래 내 물건을 내 취향으로 길들이는걸 굉장히 좋아하는 사람이라 호구가 내 몸에 맞게 길이 드는 것이 정말 좋다!

이제는 검도를 하면서 여기저기 문제점을 고치고 정확한 동작을 하는 것을 목표로 삼고 있다. 그 전에는 '일단 하고 보자' 였다면 지금은 정확하게 다듬어 나가고 있다고 할까? 작은 머리치기가 특히 그렇다. 중단세에서 그대로 뻗어 타격하는게 보통 일이 아니다. 섬세한 동작들을 연습하는 것은 어렵지만 즐겁다. 마치 커다란 나무 토막을 깎고 또 깎아 작은 조각품을 만드는 느낌이라서 힘들고 어렵고 또 내 마음대로 되지 않더라도 하고 또 하면 좋은 자세가 나오는 일이 많아진다. 그러면서 어느새 익숙해지고 나의 동작이 정확해진다.

이제는 큰 머리치기를 하면서도 발을 드는 일이 적어졌다. 앞으로 뛰어나가듯 발을 굴러야하는데 아래로 찍어누르듯 구르던 버릇이 줄었다. 이렇게 큰 동작도 작은 동작도 점점 좋아진다. 이제 시합연습 할 때 지구력만 좋아지면 좋겠는데.. 시합연습 15분 하면 진이 점점 빠져서 중단세가 이상해지는 것이 마음에 안 든다. 중단세를 유지할 수 있는 체력을 기르려면 역시 아침 운동을 다시 시작해야겠다. 이틀 여행 다녀온 날부터 아침 운동을 걸렀는데.. 아침 운동으로 빠른 머리치기를 많이 해야겠다는 생각이 든다. 내 생각에 체력 빨리 기르는데는 빠른 머리치기가 제일 좋은 것 같다.

이제 저녁 7시 부로 옮겼지만 7시 부를 메인으로 낮에 가끔 가서 자세 교정이라던가 혼자 연습하는 시간을 가질 생각이다. 오늘은 너무 정신이 없어서 그런 이야기를 못했는데 다른 일 시작한 것이 있어서 7시 부로 옮길 수밖에 없었다. 아직 나는 한참 배울게 많다보니.. 일찍 와서 연습하던 남아서 연습하던 낮에 혼자 타격대 두고 연습하던 해야한다. 그리고 사실 아직은 어설프고 힘들지만 시합연습 하는게 제일 재미있다. 상대방의 눈을 보고 있는 연습, 날아오는 공격을 막기 위해 전체를 보는 연습 등등.. 동체시력을 기르기 위해서라도 시합연습을 많이 하고싶다. 내가 맞는 일이 더 많더라도 말이다.

언제 어디서 그런 글을 읽은 적이 있다. 처칠의 연설이었던 것 같다. 모교였는지 기억은 잘 안나지만, 몇 마디만의 말로 연설을 끝냈다고 한다.

그 말은 "포기하지 마라, 절대로 포기하지 마라."

지금도 무슨 일이 있지 않은 이상은 도장에 매일 꼬박꼬박 나간다. 아르바이트도 시작해서 정신이 없고, 원래 다니던 병원에다가, 뜨개를 더 배우러 나가는 것도 있고, 원래 하던 일까지. 정말 정신이 없다. 그래도 나는 도장에 나간다. 어떻게 보면 왔다갔다 하는 내 일상에서 중심을 잡아주는 것은 검도기 때문이다.

도복을 입고, 바르게 앉아 호구를 쓰고, 바른 자세로 운동하려고 노력하는 것은 흐트러질 수 있는 내 일상에 중심이 되어준다. 모든 운동이 그렇듯이 집중하지 않거나 바른 자세로 하려고 노력하지 않으면 당장 나를 다치게 하기 때문에, 언제나 중심을 잡는 것이 필요하다. 일상도 그렇다. 나에게 그런 노력 중 하나는 검도이다.

이제 나는 갓 5급이 되었고, 생애 처음으로 급증이라는 것을 받았다. 태권도보다 피아노를 좋아했던 나는 태권도 띠 색깔도 어떻게 되는지 몰랐고 지금도 잘 모르는데(어디든 가면 흰띠라는 것만 알고 있다), 검도는 어찌저찌 50일 정도에 5급이 되었다. 심사 때 역시 관장님은 나의 예상을 벗어나지 않고 빠른 머리치기 50개가 아닌 100개를 시키셨다. 물론 다 했다. 언제나 끊어서 100개씩 했는데 연달아 100개를 하려니 죽을 맛이긴 했지만 하고 나니 내 한계를 넘었다는 생각이 들어 뿌듯했다. 그래서 급증을 더 기다렸는지도 모르겠다. 빠른 머리치기 말고도, 내가 검도라는 것을 처음 시작했고, 꾸준히 해서 뭔가를 이루어 냈다는, 내가 나의 한계를 넘었다는 소중한 증서라고나 할까? 아마 다음에는 빠른 머리치기는 150개 아니면 200개가 될지도 모르겠다.

이제 나는 일 때문에 저녁반으로 옮겼고, 저녁반에서는 훨씬 더 많은 사람들과 운동하기 때문에 더 많이 집중해야 한다. 그리고 시합연습도 많이 한다. 그리고 나는 맞는 일이 더 많지만 눈 뜨고 맞으려고 노력한다. 죽도가 날아오는 순간에는 눈 뜨고 있다가 순간적으로 감기는데, 이것도 고치고 싶다. 내가 고치고 싶다고 생각하면 언젠가는 고쳤으니까, 약한 타격도, 눈 감는것도, 느린 것도 다 고치게 되지 않을까? 어찌저찌 죽도 날아오는건 보고 있다는것도 지금까지의 성과인 것 같다. 마찬가지로 포기하지 않고 내가 '눈을 감지 않을거야' 생각하고 그렇게 하려고 노력했기 때문인 것 같다. 이럴 때 나 자신이 뿌듯하다.

저녁반에서는 관장님과 관원과의 시합연습을 많이 보게 된다. 관장님은 가끔 한 명을 지명하시고서는 "오늘 한판 하자!" 하신다. 그리고 거의 15분 정도 시합연습을 하는데 끝나고 나면 관장님도 관원도 땀범벅. 그리고 언젠가 그렇게 시합연습이 끝나고 나서 하신 말씀이 "포기하면 지는거야." 였다. 그 말이 그렇게 마음에 와 꽂힐 수가 없었다. 포기하면 지는 것. 나는 포기하지 않는 사람은 언젠가 내가 원하는 이상에 가 닿게 된다는 말로 받아들였다. 가끔 관장님은 툭툭 던지듯 이야기 하시는데 나는 거기서 글감(?)을 얻곤 한다. 이번 주제가 된 것도 그렇게 얻어낸(?) 것이다.

두 달 동안 내 몸에 많은 변화가 있었던건 분명하지만, 아직은 마이너스 체력인듯 하다. 체력인증센터에 갔더니 등급은 안 나오고 참가증을 받았다. 내가 게을러졌나? 슬쩍 그런 생각이 들기도 한다. 그러면 다시 생각해야 한다. 버티면 강해지고 포기하면 지는 것이다. 운동은 하면 할수록 잘되고 (물론 내가 바른 자세라는 가정 하에 그렇다.) 하면 할수록 체력도 늘게 되더라. 새로 시작한 아르바이트도, 내 본업도, 하고 있던 것들 모두 유지하려면 체력이 필요하다. 다시 한번 생각한다. 버티면 강해지고 포기하면 지는 것이다! 오늘도 이기기 위해 나는 포기하지 않고 오늘의 일들을 다 해낼 것이다. 물론 하루의 마무리는 검도로 하게 될 것이다.

포기하지 마라.

절대로 포기하지 마라!

제3화 열정 쏟아붓기

이제 검도를 시작한 지도 벌써 세 달. 그 동안 많은 일이 있었다. 이번 3달 차에서 가장 중요한 이벤트는, 바로 검도 대회에 나간 것이다. 나는 2022년 12월 11일 일요일, 대구광역시 내의 두 번째로 큰 검도 대회에 나갔다. 여자 단외자부, 단이 없는 사람들만을 모아 하는 경기였다. 아마도 내가 제일 짧은 경력일 것이라고 생각했는데, 알고보니 제 2경기 뛴 분이 10월에 검도를 시작한 분이라 나는 두 번째로 짧은 경력이었다.

일주일 내내 하루 두 번 검도관을 갔다. 대회가 코 앞이니 그렇게라도 가서 마음을 좀 다잡아 보기로 했다. 사실 떨리지는 않았다. 잠을 잘 자지 못했는데도 컨디션이 좋아서 타격대를 치는데 (관장님 말씀으로는) 파워풀한 타격을 했다. 관장님은 이대로만 하면 1등 하겠다고 하셨는데, 나는 이것도 마음에 안들고 저것도 마음에 안들고 잘 하는지도 모르겠고. 점점 눈이 높아지는 것 같다.

왼손 손바닥 약지와 새끼손가락 아래에 굳은 살이 박혔다. 마음가짐은 가서 너무 긴장하고 떨어서 얼지나 말자 정도였다. 점점 나에 대한 기대치가 낮아지고 있다. 하지만 상대도 분명 긴장하고 있을거니까, 긴장 상태를 잘 즐기는(?) 편인 내가 좀 유리하지 않을까 싶기도 하다. 내가 하나 딱 잘한다고 확신할 수 있는 것. 나는 긴장 상태를 즐긴다는 것이다.

무대 올라가기 전 두근거림은 정말 짜릿한 느낌이다. 시합도 그럴 수 있다. 다만 "이겨야 하는 경기"기에 무대에 올라가는 것과는 다른 느낌일 것이다. 그렇기에 조금 더 준비를 많이 하는 것이고. 사실 공연을 준비하는 것보다는 약간 덜 힘든 것 같은 것이, 이것은 어쨌든 연습을 많이 해야만 하지만 시합에는 그냥 평소 나가던 시간에서 5시간 더 늘렸을 뿐이었다. 그것으로 마음이 조금 편해지는 느낌이다. 그리고 끌어 주는 관장님도 계시니까 한결 더 마음이 놓이는 느낌이기도 하고. 공연을 준비하는 것은 내 성에 차지 않으면 내가 당황 한 번 하는 순간 와르르 무너지기 때문이다.

시합은 정말 이기고 싶다는 마음이 있기는 하지만 져도 상관없다. 이 시합으로 내가 배우는 것이 많고, 실력이 늘면 그것 만으로도 충분하다고 생각한다. 물론 이기면 좋지만, 나는 져도 배우는 것이 많아서 내년에 있을 대회에 또 나갈 수 있다면, 그것만으로도 나는 정말 뿌듯할 것 같다. 아마 진다면 의지가 더 불타게 될 수도 있는 것이고, 이기면 재밌어서 또 재밌다고 더 할수도 있고

.

대회를 나가기로 결심한 것은 그렇게 거창하지 않았다. 그저 언젠가는 나갈 대회, 호기심 1/3, 용기 1/3, 재미(?) 1/3의 비율이었던 것 같다. 관장님께서 처음 시작하던 9월에 호구를 쓰자 12월에 대회 나가볼래요? 하고 슬며시 던지셨을 때는 올해는 아닌 것 같다고 내뺐는데, 어느새 무슨 용기가 났는지. 11월 말쯤 관장님께서 이야기 하실 때는 나가겠다고 했다. 그 동안 열심히 출석 도장을 찍었는데 한 번 쯤은 이길 수 있지 않을까 하는 객기도 있기는 했다.

그때부터 시간이 나면 무조건 검도관으로 갔다. 일을 쉬는 날에 두 번 갔고, 일주일 전부터는 오전에 일을 마치고 매일 두 번씩 출석했다. 힘들고 피곤한 날에도 나갔고, 일이 서툴러 엉망진창으로 깨진 멘탈로도 호구를 쓰고 빠른 머리치기를 하고 작은 머리치기를 연습하고 시합연습을 15분씩 했다. 나보다 먼저 일주일 전 전국 대회에 나가던 아이들에게 관장님은, 너희 열정을 여기 쏟아 부어! 하고 외치셨고, 그 말을 듣는 나도 정신이 번쩍 들었다. 나는 대회

전 1주일은 정말 할 수 있는 것을 다 했다고 생각한다. 그렇기에 준비에 대한 후회는 없다. 매일 검도관에 가면 무조건 몸풀기로 빠른 머리치기 200개씩 쳤으니 하루에 빠른 머리치기는 한 500~600개는 친 것 같다. 마지막 금요일에는 타격대를 치는데 너무 잘되어서 재밌다고 막 쳤더니 손에 물집이 잡힐 정도였다. 그만큼 나는 나 나름대로의 열정을 쏟아 부었다.

관장님도 대회에 나가셨다. 관장님은 대회 나가는 사람들(나와 중등부 학생 어머님, 그리고 고등학생 셋) 중에 처음 대회 나가는 사람이 둘이나 된다고 같이 나가면 조금은 덜 떨리지 않겠냐며, 작년에 나가서 우승한 대회를 또 나가셨다. 관장님은 자기 자신의 훈련을 많이 못해서 걱정된다 하면서도, 결과는 운좋게 부전승에다 5단부 개인전 우승. 5단부는 정말 경기 모습이 멋있었다. 관장님은 춥다 춥다 노래를 부르시면서 경기에 나가셨는데(정말 추위를 많이 타셨다. 양손에 핫팩을 쥐고 계속 흔드셨다.) 결승전 끝날 때까지 걸린 시간이 6분 정도. 영상을 찍어뒀는데 보면서 자세와 칼 쓰는걸 보면서 부러워서 데굴데굴 굴렀다. 어쩌면 저렇게 자세가 멋있지, 어떻게 저렇게 기세가 좋지, 어떻게 하면 저렇게 멋있게 이기지. 자세에는 흔들림이 없고 기세에서 이미 상대방을 압도했다. 칼은 빠르고 동작은 간결했다. 상대방을 쥐고 흔들어 내 뜻대로 움직이게 만들어 공격하는데 거기서 이미 상대방은 속수무책.. 검도하는 사람이라면 배울 포인트가 한 두가지가 아니었다.

결과부터 말하자면 나는 1:0 으로 졌지만, 쉽게 지진 않았다. 3판

2선승제인 검도 시합에서 경기시간 4분, 한판승으로 끝낸 것이었다. 그리고 어쩐지 3등이 되어 첫 대회에 첫 메달을 걸었다. 첫 경기치고 잘했다는 관장님 이야기를 들었지만 영상을 보니 나는 엉망진창이었고, 내가 찍은 관장님 경기는 멋있기만 했다.

내 경기 영상을 몇번을 돌려봤는지 모른다. 발은 콩콩거렸고 오른발은 너무 급하게, 움직임이 다 보였고 왼발은 느렸다. 칼은 너무 내려가 있었다. 자세는 왠지 삐딱했다. 내가 보면서도 내가 이해가 가지 않는 엉망진창인 모습이었다. 칼이 나가는 속도도 느렸다. 나는 내 모든게 마음에 들지 않았다. 경기가 끝나고 나서 검도관에 갔을 때 관장님은 물으셨다.

"뭐가 제일 문제인 것 같아요?"

난 모든게 마음에 안 든다고 했다. 당연했다. 일단은 내가 진 경기고, 난 홍띠였는데 맞은 것 같지 않은데 백기가 올라가 있었다. 사실 어디를 맞았는지 잘 모르겠다. 난 몇 번이고 퇴격머리로 상대방을 쳤는데 홍기가 올라가지 않았다. 심판이 보기에 한 판이 안 되었겠지, 그렇게 생각이 되긴 하지만. 일단 지더라도 멋있게 지고 싶었다. 그런데 그냥 자세부터가 모든 것이 엉망진창이었다. 그러니 당연히 마음에 안들 수밖에.

관장님은 상대방에게 공격할 여지를 남겼다는 것이 가장 큰 문제라고 하셨다. 더 멀리서, 더 빠르게 공격하면서 힘도 있으면 상대방이 쉽게 공격을 못할 것이라고 하셨다. 그 이야기를 들으니 대회 전 마지막 금요일에 하던 것처럼 했다면, 그랬다면 어쩌면 이길 수 있지 않았을까, 그런 생각도 들었다. 난 대회 때 너무 긴장을 하지 않았고, 그것도 문제였다. 첫 대회에 첫 경기인데 하나도 떨지도 않았고 긴장도 하지 않았다. 평소 하던대로 나갔었다. 내가 발을 구르며 상대방을 혼란스럽게 할 정도로 나는 상대방보다는 훨씬 여유롭기는 했다. 난 내가 발구를 때 상대방이 팔을 드는걸 봤고 그때 허리를 쳤어야 했다고 후회하기도 했지만 이미 끝난 일을 어쩌겠는가. 그래서 아쉽기는 했다. '첫 경기 치고 잘했어요.' 라고 하시던 관장님의 목소리가 약간 아쉽게 들렸던건 나의 준비하던 모습 때문이었던 것일까? 조금만 더 공격이 빨랐다면, 그러면 무승부에 연장전까지는 가지 않았을까 싶기도. 하지만 이미 대회는 끝났고 이 대회를 발판 삼아 내년 대회를 준비해야겠지.

겨울 동안은 대회가 없으니 열심히 훈련할 생각이다. 관장님께서 아이들에게 말씀하신 것처럼, '열정을 쏟아 부어' 다음 경기에서도 쉽게는 지지 않을 것이다. 아니, 한 판이라도 제대로 이겨볼 것이다. 이번에도 나름 열정을 쏟아 부었다고 생각하지만, 준비를 더 할수 있을 때 더 쏟아 부어야지. 그때는 살짝 긴장도 하고 중단 싸움부터 모든 것을 제대로 해내고 싶다. 욕심이라면 욕심이지만, 욕심을 부려야 나 자신이 강해질거라는 생각이 든다. 내가 대회를 준비하면서 계속 생각했던, 기본으로 돌아가서 토대를 더 제대로 쌓고 싶다.

이번에 딴 동메달은 세 달동안 열심히 출석해서 대회까지 나간 나의 용기와 열정을 칭찬하는 상이라고 내 멋대로 생각하기로 했다. 동계훈련은 분명 힘들겠지만, 기다려지는 것은 내년에는 꼭 이기고 싶어서일 것이다.

내년 대회에서는 이기고 싶다. 꼭 이기고 싶다.

제4화 빠른 머리치기 천 개의 밤

2022년 검도 마지막 수업. 빠른 머리치기 천 개 치기. 솔직히 예고를 들었을 때에는 겁이 살짝 났다. 오늘 빠른 머리치기 천 개 할거래… 수군수군. 사실 200개도 치다 중간에 쉰 전적이 있는 나로서는 내가 과연 끝까지 할 수 있을지 걱정이 되었다. 200개도 겨우겨우 하는데, 천 개라니. 관장님께서는 비공식 기록으로 만 이천 개를 쳤다고 하셨다. 그게 가능해? 싶으면서도, 천 개를 하면 만 개도 어쩌면... 이라는 생각이 들기도 했다.

결론부터 말하자면 나는 천 개를 완벽하게 전부 다 치진 못했다. 쉬지 않고 천 개를 한다는 것은 아직은 무리인지 종아리가 너무 아파서 힘들었다. 그래도 어떻게든 뛰어도 보고 쉬어도 보고, 어찌저찌 천 개가 끝나고 앉아서 묵상을 하는 시간. 처음에는 숨을 고르느라 아무 생각도 들지 않다가, 아쉽다는 생각이 들었다. 그런데 머리 위에서 굴러 떨어지는 땀방울이 느껴졌다.

한 방울...

두 방울...

그 순간, 한 해의 마무리에 대한 생각이 들기 시작했다. 내가 한 것이 헛되지 않았구나. 완벽하게 하지는 못했지만, 어떻게든 마무리는 했구나. 올해 마무리는 땀을 흘리며 하는구나. 땀을 흘리며 하는 마무리라. 완벽하지 못하면 어때, 언제 내가 땀을 흘리며 한 해를 마무리 해봤던가? 생각해보면 이렇게 뿌듯하게 땀을 쭉쭉 흘려가며 했던 마무리보다 혼자 있던 마무리가 더 많았던 나였다. 그런데 이제는 같이 빠른 머리치기를 천 개를 같이 치는 친구들과 그런 친구들과 나를 이끌어 주시던 관장님, 그리고 검도 자체로도 꽤나 훌륭한 마무리가 되었다.

약간 아쉬웠던 마음이, 언젠가는 또 천 개를 해보면 된다는 생각으로 바뀌었다. 처음에 걱정했던, 부담스러웠던 마음이 어느새 언젠가는 꼭 천 개를 쉬지 않고 해봐야지, 하는 도전하고 싶은 마음으로 바뀌었다. 지금은 못해도, 나중에는 할 수 있을거라고, 이번에 해봤으니까 다음에는 할 수 있을거라고. 못해도 괜찮고, 할 수 있으면 더 좋은거라고.

그렇게 연말 방학. 나는 갑자기 심심해졌다. 도복 하의인 하카마를 세탁망에 넣어 빨래를 했다. 이제 진짜 2022년이 끝나는구나. 나는 그동안 뭘 했을까? 내 글을 내가 읽어보았다. 처음에는 참 가볍게 시작했구나. 웃기도 하고, 어쩐지 아련해지기도 했다. 정말 가볍게, 아무렇지 않게 운동으로 시작했던 검도가 내 삶에 참 많은 변화를 가져다 주었다. 운동으로 시작해 무도로 나의 정신에 깃들게 되었다고나 할까? 단순한 운동이 아닌, 삶의 일부분. 무엇을 하든지 간에 마음가짐을 단정히 하고 도구들을 단정히 놓고 마무리까지 깔끔하게 하려고 하게 되는 것은, 검도를 하며 호구를 쓸 때의 마음가짐과 같은 것이다.

가볍게 배웠던 것을 쓰던 글을 점점 줄글로 정돈해 쓰게 된 것은 아무래도 내가 검도를 하며 조금씩 욕심이 났기 때문인 듯하다. 특히 대회를 앞두고는 정말 마음가짐부터 달라지는 것이 보였다. 나는 점점 검도에 진심으로 재미를 느끼고 특히 시합연습을 좋아하게 되었다. 시합연습은 실제 시합을 하듯이 서로 호구를 쓰고 머리, 손목, 허리 등 서로 먼저 치는 연습을 하는 것이다. 이 때에 나는 배웠던 것을 써보거나, 나의 박자-기합, 발구름, 치는 곳-를 맞춰보거나 하는 연습도 같이 했다. 처음에는 호구를 쓰는 것도 마음의 준비를 해야했는데… 어느새 호구를 쓰는 것이 더 즐겁고 재미있어졌다. 호면 날개가 아직도 뻣뻣하게 내려오는 것이 느껴져서 더 쓰고 싶은 마음도 들고. 호면의 날개가 내려와서 불편하다기 보다는, 많이 써서 길들이고 싶다. 멋지게 길들인 날개가 어깨를 방해하지 않게 되도록. 정돈된 호구를 볼 때마다 괜히 마음이 벅차오르고 기분이 좋다. 호구를 쓰기 위해 가져와 무릎을 꿇고 갑과 갑상을 입고 호면 끈을 꽉 묶어 팡팡 당길 때마다 마음을 다잡는다. 오늘 기술 연습은 더 집중해야지, 오늘 시합연습에서는 발을 더 움직여야지, 눈을 더 뜨고 있어야지, 맞더라도 눈을 뜨고 맞아야지.

이제 검도를 한지 100일이 넘었고 나는 나에게 백일 잔치(?)를 열어준 다음부터는 날짜를 세지 않는다. 100일이면 무사히 내 몸에 배어 들었을테니까, 이제 더 세지 않아도 나는 알아서 검도관에 갈 것이다. 그리고 검도 자체가 정말 재미있고 즐거워서 자꾸 욕심부리게 된다. 욕심에도 종류가 있다면 이건 좋은 욕심이 아닐까?

검도를 하며 스트레스도 많이 줄어들었다. 예전 같으면 일하면서 받은 스트레스를 화가 잔뜩 나서 소리를 마구 질러대며 수다를 떨었을 것이다. 지금은 그렇게 화를 마구 내지도 않고 이런 일이 있었다는 정도만 이야기하고 검도관으로 간다. 거울을 보며 내 자세에 집중한다. 어느새 받은 스트레스는 잊어버리고 검도에 골몰하는 나 자신을 발견한다. 중단세를 잘 잡아야지, 작은 머리치기 잘 하고 싶어, 눈을 잘 봐야지. 그렇게 생각하고 골몰하다 보면 상처 받은 것들은 흘러가버린다.

내가 처음으로 썼던 죽도는 이제 가시가 일어나고 깨져 나가기 시작해서 새 죽도로 바꿨다. 34호 죽도. 짧고 가벼운 죽도로 참 열심히도 해 왔구나 싶다. 대회도 그 죽도로 나갔으니. 짧은 내 첫 죽도를 보며 생각한다. 너는 나를 강하게 만들어 준 나를 지켜준 무기구나. 고마워. 처음으로 썼던 너를 잊지 않을거야. 방 한 구석에 소중하게 놓여져 항상 나를 돌아보게 한다. 100일이 넘도록 여러 사람들의 호면을 때려가며, 손목을 때려가며, 허리를 때려가며 휘어지기를 반복하다가 가시가 일어나고 깨져나간 죽도. 내가 조금이나마 강해졌다는 상징과도 같은 죽도.

처음 검도를 시작할 때의 나와 지금의 나는 많이 달라졌다. 특히 대회 이후로 더 단단해진 느낌이다. 몸도 마음도 단단해진 느낌. 나를 보는 사람들 다들 입을 모아 이제는 운동 좀 한 사람처럼 보인다고 한다. "건강한 사람"이라는 그 이상의 말인 것 같아서 어깨가 으쓱 올라간다. 그렇게 나는 나를 좋아하게 되었다. 스스로 나를 자랑스럽게 여기게 된 것이다. 정확히 기검체일치로 머리를 치기 위해 연습하는 나는 멋진 사람이다. 될 때까지 도전하는, 될 때까지 쉬지 않는 나는 멋진 사람이다. 포기하지 않고 남아 연습하는 나는 자랑스럽다. 이렇게 나는 내가 좋아졌다. 중간에 힘들고 지쳐 하지 못해도, 언젠가는 꼭 할 수 있을거라고, 나 스스로를 다독이고 달래기도 한다. 이런 나는 나 스스로에게 멋진 사람이 되었다. 우울증을 앓아도, 가끔 어쩌지 못하는 외로움이 덮쳐와도, 내가 멋진 사람이라는 사실은 변함이 없다.

나는 날 좋아해주는 '사람들'에게 기대고 싶었고, 그래서 외로움을 많이 탔지만 이제는 그렇지 않다. 나에게는 이제 평생 걸을 길이 있다. 매번 새로운 풍경이 펼쳐지는, 검 한 자루와 걷는 길. 나를 이겨가면서도 스스로 자랑스러워하며 걸어야 하는 길. 이 길에서 나는 외롭지 않다. 같이 걷는 수많은 사람들이 있기에, 먼저 걸어간 사람들의 발자취를 따라가며 가끔은 뛰기도 하고 천천히 걷기도 하면서 깨닫고 느끼며 즐겁게 걸을 것이다. 이 길의 끝이 어딘지 몰라도 좋다. 평생 걸어가며 새로운 풍경을 끊임없이 볼 수 있다면, 난 그것으로 행복하다.

이렇게 되기까지 많은 사람들의 도움이 있었다. 검도가 왜 갑자기 하고 싶냐면서 투덜투덜하면서도 카드를 슬쩍 내밀던 엄마, 그리고 칭찬으로 적당히 당근을 주시면서도 채찍을 적당히 휘둘러 나를 검도의 세계로 빠트려(?) 글까지 열심히 쓰게 만들어주신 관장님, 그리고 친해진 검도관 안의 여러 친구들까지. 그 사람들에게 미안하고 또 감사한 마음이다. 이제 내가 도움을 줄 수 있는 사람이 되고 싶다. 조금씩 앞으로 나아가다 보면, 꼭 그렇게 되리라고 믿는다. 나는 이제 나를 믿을 수 있다. 나는 언젠가 해내는 사람이니까!

2022년은 꼭 빠른머리치기 천 개 같은 해였다. 처음에 멋지게 쉬지 않고 시작하다가, 내 의지와 상관 없이 쉬다가(나는 정말 팔은 아프지 않았고 다리만 아파서 아쉬웠다.), 또 열심히 일하고,

배우고, 검도를 시작하고 체력이 붙고 자신감이 붙어서 무엇이 되었든 열심히 최선을 다하며 마무리만큼은 해낸, 그런 해였다. 내년은 검도와 함께 시작하겠지? 내년엔 꼭 빠른 머리치기 천 개를 쉬지 않고 쳐내는 내가 되고 싶다. 내가 흘린 땀방울은 내년의 내가 쓸 소중한 자신감이 되어 줄 것이다.

제5화 나는 오늘도 죽도를 든다

며칠동안 이어진 급한 뜨개 작품으로 인한 후유증인지, 어제는 아르바이트 퇴근 시간을 착각해 30분 일찍 퇴근하고 말았다. 빨리 완성해야 한다는 생각이 조급하게 만드는 것인지…. 그런 날이지만 나는 어제도 죽도를 들었다. 아르바이트를 마치고 카페에서 뜨개를 하다가 검도관 열 시간이 다가오면 느적느적 일어나 검도관으로 향한다. 가서 도복을 갈아입고 죽도를 찾아 든다. 죽도를 들고 아킬레스건을 쭉쭉 풀어준다. 어깨, 팔, 손목, 발목이 적당히 풀렸다 싶으면 머리치기를 해본다. 휙, 휙, 아직은 휘청거리린다. 가끔 휙 소리가 아닌 쑥 하는 화살 날아가는 것 같은 소리가 날 때가 있다. 이때는 내가 왼손을 잘 쓰고 오른손으로 잡아주면서 휘청거리지도 않았을 때다. 휙 소리가 나는 것은 그럭저럭 하는데 쑥 소리가 나는 것은 어쩌다 한번 성공한다. 아직은 멀었구나 싶다.

요즘은 몸 풀때에 2동작 머리치기(동작이 둘로 나뉘는 머리치기), 1동작 머리치기(연속으로 앞뒤로 머리치기)를 정확한 자세로 하는 것에 초점을 맞추고 있다. 이 동작들을 제대로 해내려면 생각보다 집중을 더 해야하고 정확한 자세를 해야 한다. 그래서인지 10번 정도만 해도 이마에 땀이 송글송글 맺히곤 했다. 그 대신 내 팔과 다리, 허리는 더 강해진 것 같다. 조금 더 허리와 어깨를 쭉쭉 펴고, 중단세를 정확하게, 발 모양도 정확하게….

정확한 자세를 할 수록 칼에 힘이 더 실리고, 조금 더 위협적인 칼이 나오는 것 같다. 이제까지 들리지 않던 바람소리가 들리기 시작했다. 그리고 37호 죽도인데 440g 정도니까.. 바꾼 죽도에 적응을 빠르게 한 것 같다. 이제 곧 39호 여성용 죽도 정도는 쓸 수 있지 않을까… 하는 기대를 하고 있지만, 호구를 쓰면 정확도가 반쯤은 떨어지는 것 같다. 호구를 쓰고 정확한 자세를 하려면 쓰지 않았을 때보다 생각을 더 해야한다. 내가 지금 팔을 펴서 죽도를 잡지는 않았는지, 왼팔이 내려가 있지는 않은지, 파지는 호완을 끼더라도 정확하게 하려고 하고 있는지, 중단세가 정확한지…. 계속 나를 점검해야 한다. 하지만 검도는, 정말 생각을 많이 하고 나를 계속 돌아봐야 잘 할수 있는 운동이라는 생각이 든다. 특히, 기본에 충실하지 않으면 금방 상대방에게 당한다(그런 면에 있어 난 아직 기본기를 더 닦아야 한다는 생각이 든다).

어쩌면 수련을 해오면서 자연스레 기본에 대한 생각이 드는 것이 아닐까 싶기도 하다. 점점 시간이 쌓이면서 생각도 많아지고 결국은 기본으로 돌아가는. 수십년간 수련을 해오신 분들은 중단세와 기세부터가 다르다고 하니까. 아직 검도 초보자인 나는 먼 이야기 같다. 나도 언젠가는 그렇게 될까? 이제 한 발자국 겨우 내딛은 나로서는 아득하기만 한 이야기다. 하지만 쌓은 시간은 어디 가지 않을 것이라고 믿는다.

내가 점점 좋아지고 있다, 단단해졌다고 느끼는 순간이 있다. 나쁜 생각을 거의 안할 때, 예전 같으면 주눅 들 때에 여유롭게 받아치게 될 때, 그 밖에 곤란한 상황들에서 적당히 풀어 내는 나를 발견할 때….

검도 수련의 첫 번째에 정신수양이 있다. 첫 번째로 써 있기도 하고, 정말 몸을 움직이다 보면 힘들어서 아무 생각이 안 들기도 한다. 그런 것도 있지만 역시 죽도를 들고 있다는 것만으로도 강해졌다는 생각이 든다. 내 몸의 반절이 넘는 죽도를 들고 있는 모습을 거울로 보고 있으면 보통 사람은 덤비기 쉽지 않겠다 싶다. 육체적인 강함도 있겠지만 마음이 강해진 것이 첫 번째로 마음에 든다. 점점 내가 하는 것에 자신감도, 하고 싶은 것도 많아지고 있다. 그 바쁜 와중에도 새로운 뜨개 작품을 만들어 올렸다. 이제 몸이 운동하는 것에도, 일하는 것에도 적응했는지 머리도 잘 돌아가나보다. 내가 정말 사랑하는 운동이기에 더 재활에 성공한 것일지도.

인스타그램에는 참 많은 광고들이 뜬다. 피로를 풀어준다는 안마기, 여러가지 클래스, 고양이 장난감, 그러다 자주 보이던 광고 하나. 사람들이 저를 5cm는 길게 봐요. 무게 치는 운동 안해요. 허벅지 두꺼워지는 스쿼트 안해요. 여리여리해져요. 사람들이 날 보는 시선이 달라져요. 인생이 달라져요.

난 마지막에서 조금 웃었다. 인생이 달라진다니. 고작 남들 보는 시선 하나에 인생이 달라진다고? 남들이 말라서 부럽다, 여리여리해보여서 부럽다, 고작 그런 부러움 사는 걸로 인생이 달라진다니. 남이 보는 시선이 그렇게 인생을 좌지우지 할 정도면 그 인생은 내 인생이 아니라 남의 인생 아닌가. 남의 부러움으로 자신의 자존감을 채운다는 것은 위험하다고 생각한다. 그것을 잃는 순간 나 자신에 대한 자존감도 없어지는 것이니까.

나도 예전엔 말라깽이였다. 오죽하면 헌혈하러 갔더니 저체중이라 헌혈을 못한다고 했다. 그때 나는 정말 자주 아팠고 피곤했다. 생리통이 심해서 기절한 적도 있었다. 다시 그때로 돌아가라고 하면 나는 다시 돌아가지 않을 것 같다. 그때 나는 너무 허약했다. 지금도 마이너스 체력을 겨우 0 근처로 끌어올려 놓은 것 같은데 그때로 돌아가라고 하면 끔찍하다.

나는 밀어걷기를 잘 하기 위해 잡은 자세에서 종아리에 힘이 들어가 울퉁불퉁해지는게 무섭지 않다. 호구를 쓰고 지친 상태에서도 중단세를 유지하려고 버티고, 죽도를 들어 바람소리가 나도록 쳐내는 전완근이 멋진 내 팔이 좋다. 꼿꼿하게 서 버티는 허리가 좋다. 힘들어도 배로 내지를 수 있는 내 기합소리가 좋다. 내 몸이 내 마음대로 움직일 수 있도록, 좋은 자세를 잡고 정확한 타격을 할 수 있도록 연습하는 나 자신이 좋다. 힘들어도 버티고 끝까지 해내는 나 자신이 좋다. 힘들 때 한번 더 치려고 하는 나 자신이 좋다.

남의 시선이 중요하다면, 그게 정말 날 위해 하는 것일까? 남의 시선이라는 것은 부수적인 것이고, 결국엔 내가 나를 사랑해야 한다. 자신감이라는 것은 남의 시선으로 만들어지지 않는다고 생각한다. 나는 자신감이 내가 해냈다는 성취감과 노력으로 만들어진다고 믿는다. 내가 당당한데 남의 시선이 문제겠는가. 남의 시선은, 그저 시선일 뿐이다. 남이 보는 눈빛은, 그저 보는 것이다. 신경써야 할 것은 내가 보는 내 모습이다. 스스로에게 실망할 때도 날 격려할 수 있는 나 자신을 만드는 것이 더 중요하다고 생각한다. 이런 것도 해냈어, 저런 것도 해냈어, 이번에 안 될수도 있지만 뭐 어때? 다시 해보거나 다른 것을 해보면 되는거야. 그렇게 나를 다독일 줄 아는 사람이 되는 것.

인생이 바뀐다는 것은 그런 것 아닐까. 나 스스로 내가 좋아지는 것. 내가 날 사랑할 수 있다는 것. 누구의 시선도 신경쓰지 않고, 내가 나 자신을 자랑스러워 할 수 있다는 것. 자연스레 어깨가 펴지고, 자연스레 사람과 눈을 맞추며 이야기할 수 있는 것.

가끔 숨이 가쁘다 못해 넘어갈 정도로 운동한다. 막판에 힘이 빠지려고 해도 버티려고 이를 악물었는지 이가 아프다. 그래도 어떻게든 끝까지 해낸다. 솔직히 말하자면 정말 힘들다. 자세를 계속 고치고, 또 치고, 움직이면서도 치고, 돌면서도 치고…. 제대로 친게 얼마 안되지만 움직이면서 치는게 제일 힘들고 제일 재밌었다. 선수들이 한다는 훈련도 해본다. 어렵고 힘들어서 아무 생각이 없어진다. 난 이상하게 어려운 것들이 더 재미있다. 잘 못해도 어려운 것이 더 좋았다. 특히 힘든 운동. 집중을 하지 않으면 안되는 운동들이 더 좋았다. 체력이 떨어지는 극한 상황을 넘어서야 내가 뭔가 해냈다는 느낌이 든다.

숨소리가 거칠어질 만큼 운동을 하고, 땀이 뚝뚝 떨어진다. 숨통이 트이는 기분. 내일을 살아갈 힘을 얻은 기분이다. 언제나 나는 이렇게 내 그림자를 느끼고 다시 또 정리하게 된다. 나를 알고, 또 어떻게든 뭔가를 해내는 나를 다독이고. 이렇게 해내는 나 자신을 사랑하게 되는 것이 인생이 바뀌는 것이지, 고작 남 시선에 따라 바뀌는 것은 인생이 바뀐다기보다 부러움을 사는 나 자신을 좋아하는 것 뿐이라고 독하게 말해본다. 그런 시선이 좋을 수도 있지만 그런 기준이 없어진다면 어쩔건지? 그런 기준은 모두 원래 있던 기준이 아니라 환상이고 만들어진 것 아닌가?

나는 버티는 나 자신을, 힘들어도 해내는 나 자신을, 쓰러져도 일어나는 나 자신을, 시합에서 지더라도 되새기고, 배우고, 그렇게 다시 도전하는 나 자신을, 느리더라도, 죽을 것 같아도, 한번 더 죽도로 쳐내는 나 자신을 자랑스러워 한다.

그렇기에, 나는 오늘도 죽도를 든다.

제6화 내가 죽으려고 생각한 것은

무거운 제목으로 시작했지만, 사실은 노래 제목이다. 일본 노래, 僕が死のうと思ったのは。일상에서 느끼는 순간 속에서 절망하다가 마지막엔 결국 희망을 걸어 보는, 그런 내용의 곡이다. 가사를 들을 때마다 매번 공감이 되는 노래여서 좋아하는 곡이다.

어째서 이 노래 제목을 끌어왔느냐 하면, 정말 내가 죽으려고 생각했던 적이 있었기 때문이다. 그 때는 2021년 12월, 겨울의 초입이었다. 그때 나는 학교 조교 면접에서 떨어졌고, 취업하려고 넣은 이력서마다 족족 떨어졌다. 정확히는 떨어진 것도 아닌, 이력서를 읽었음에도 연락조차 오지 않던 시기. 그때 나는 정말 죽으려고 생각했다. 노래 가사처럼, 무엇을 보고 느껴도 죽고 싶었다. 2021년 12월 31일. 내가 정해둔 끝이었다.

같은 학교 친구와 오랜만에 연락을 하면서 나는 신나게 검도에 대해 떠들었다. 요즘 검도가 너무 재밌고, 운동하고 나면 기분이 좋다고. 힘들어도 재밌다는 이야기를 계속 했던것 같다. 그러다 친구가 말했다.

"예전에 그거 기억나? 검도 시작하기 전인데 2021년 마지막 날에 죽고싶다고 했었거든. 근데 이제는 그때의 모습이 없어. 좋아졌다 정도가 아니라, 사람이 성장했다는게 보여."

친구는 그런 말을 했다. 그러고보니 다른 친구도 그런 말을 한 적이 있었다. 괴로운 것을 아는 것은 성장할 기회라고. 관장님도 말씀하셨다. 고통이 있어야 성장한다고.

생각해보면, 관장님은 처음부터 내가 성인이고 체력이 약하다는 이유로 운동을 가볍게 끌어가지는 않으셨다. 적당히 한다는 것은 없었다. 적당히 한 것이 땀이 흐르고 숨이 차도록 하는 것이었고, 거진 기진맥진하기 직전까지 했었다. 그런데 내가 그렇다고 해서 못하겠다 하거나 힘들다고 그만하자 한 적은 없었다. 나는 단 한 번도 그런 말을 한 적이 없었다. 그저 따라갔었다. 안 되면 한 번이라도 성공할 때까지 시키셨다. 그것도 그냥 될 때까지 했다. 물론 끝나고 힘들죠? 라는 말을 들으면 힘들다고는 했다. 그 대신 힘든 것이 좋다는 말을 덧붙여서.

30분 넘게 관장님과 시합연습을 했다. 얼마나 늘었는지 보자고 하셨는데 순간 얼음. 원래 사람은 자기 자신을 가장 모른다고 하니까. 나도 내가 늘었는지 그대로인지 하나도 모른다. 사람이 비교를 해야 하는 순간도 있는 것이고, 그것은 나 자신이 성장했는지 보는 지표가 된다. 사람은 비교할 수 밖에 없는 존재이기도 한 것이다. 거울을 비춰 보듯이.

정말 엉망진창으로 몸이 움직이질 않았고, 아침에도 근육통이 있었다. 아침에 일어나려고 하는데 순간 잠들어 버려서 지각할 위기였지만 어찌저찌 넘겼다. 낮에는 아끼던 고양이가 고양이 별로 떠났다는 소식을 들었다. 검도관에 가는 길에 조금 울었다. 정신도 몸도 만신창이. 그래서 살짝 겁을 먹었던 걸지도.

관장님은 시합연습 전에 잘 안될 때면 나 자신을 깨야 한다는 이야기를 하셨다. 맞든 안맞든 칼을 더 쓰고 더 거칠게 밀어붙여야 한다고. 이상하게 그 말이 왠지 위로가 되었다. 용기가 생겼다고 할까, 호구를 쓰면서 엉망진창, 만신창이가 된 것도 잊어버리고 어쨌든 뭔가 해보자, 하는 마음이 생겼다.

그렇게 시작된 시합연습. 난타전, 거리가 가까울 때, 치고 나서, 혹은 쳤는데 맞지 않았을 때 등등…. 온갖 상황을 가정하고 연습을 했다. 기합을 지르고 눈을 계속 쳐다보면서 치려고 골몰하고 있으려니 잡생각은 말끔히 사라졌다. 점점 더 집중이 되었다. 울고 싶던 마음도, 엉망진창이었던 컨디션도, 다 잊어버리고 나의 칼에 집중했다. 더 치고, 더 밀어붙이고, 더 뻗어야지. 그렇게 생각했다.

그 생각들이 효과가 있었던 걸까? 보이는 대로 정말 열심히 치고 나갔다. 연속 타격에, 퇴격 머리치기도 하고, 정말 될 것 같다 싶을 때는 다 치고 나갔던 것 같다. 치고, 밀고, 또 치고, 관장님께서 마구 치고 들어오실 때는 나도 되든 안 되든 치고 들어갔다. 정신은 없었지만, 그게 더 좋았다.

그리고 들어온 초등학교 저학년 아이들. 아이들의 큰 머리치기를 받아주고 시합연습도 받아준 다음 호구를 벗었다. 관장님은 이제 내 칼이 좀 '꽂힌다'는 느낌이 든다고 하셨다. 그 전과, 오늘을 비교해서 이야기 하셨는데 그 전에는 정말 간지럽다는 생각이 들 정도였다…. 약하거나, 아니면 꾹 누르거나. 머리도 치고 나가는게 아니라 눌리거나 흐르거나…. 그런데 오늘은 달랐다. 나도 조금은 느꼈는데, 비교했을 때 확실히 '꽂힌다'는 느낌이 뭔지 알것 같았다. 이제야 비로소 조금이나마 '타격'이라고 할만 한 것 같았다.

도복이 땀에 축축해질 정도로 시합연습을 하고 나니 힘들다기보다는 개운했다.

어쩌면, 나는 그 힘든 운동 속에서 희망을 봤던 것일지도 모른다. 내가 이것을 버텨내면, 다른 것도 버틸 수 있을지도 모른다는 희망. 아니면 객기였을지도 모른다. 죽을 생각도 했었는데 운동 좀 힘들게 한다고 죽진 않아, 그런 생각. 무엇이었든 상관 없다. 지금 내가 살아있어서 '인생 운동'을 발견했고 그로 인해 성장하고 있다는 사실은 변함이 없다. 검도 실력은… 관장님께서 더 잘 아실 것 같다.

어린 날의 작은 기억으로 시작한 검도가, 어느새 '인생 운동'이 되어 나를 성장시키고 있다. 정확히 언제라고는 말할수 없지만, 언젠가부터 안좋은 생각이 들거나, 기분이 엉망진창이 되더라도 금방 떨쳐내는 나 자신을 보았다. 사람이 계속 똑같은 기분을 가질 수는 없다. 나는 그걸 이제야 조금 깨닫고 받아들이기 시작한 것 같다. 외로움, 슬픔, 분노 등등…. 부정적인 감정과 생각은 인간이면 당연히 느낄 수 있다. 어떻게 정리하고 받아들이느냐가 중요할 뿐. 나는 언제나 그런 감정과 생각에 잡아 먹혔었는데, 이제 그런 일이 줄었다. 잠길 때가 있어도 금방 빠져나온다. 나 자신의 성장은, 나도 느끼지만 내 친구들도 많이 느끼나보다.

'바람의 검심'을 보다가, 문득 생각이 들었다. '바람의 검심'에서 켄신은 카오루를 구하기 위해 죽음도 불사하겠다는 마음으로 스승에게 필살기를 전수해 달라고 한다. 그러자 켄신의 스승은 '너에게 지금 없는 것'을 깨달으면 전수해 주겠다고 한다…. 켄신은 구르고 깨지고 스승에게 죽을 위기에 처하고 나서야 그것이 '살고자 하는 의지'임을 깨닫는다.

나는 사실 죽음에 초연한 사람이었다. 오랜 기간 앓아온 우울증 때문일까, 아니면 아버지의 깊은 암 때문일까. 여러가지로 조금씩 무너진 일상. 나는 당장 죽어도 이상하지 않다고 생각했다. 사람은 언젠가 죽어. 그렇게 생각했다. 그래서 아무렇지도 않았다. 내가 죽는 것은 당연한 이치니까. 그냥, 그렇게 죽음에 초연하게 계속 살아왔다. 차가 나를 치고 갔으면 좋겠다, 버스가 날 치고 가면 좋겠다, 여기서 뛰어내리면…. 온갖 죽음에 대한 생각을 달고 살았다. 켄신과는 다르지만, '살고자 하는 의지'라는게 없었다. 무엇을 해도 힘들었고 무엇을 해도 어려웠다. 움츠러들게 했던 일들이 자꾸만 생각났다. 어쩌면 패배의식을 주렁주렁 달고 살았던 걸지도 모른다. 난 안돼, 어차피 못할텐데... 같은 패배와 절망에 찌든 나날들.

물론 이것들은 내 병도 한몫 한다. 우울증이라는 것이 그렇다. 나는 어릴 적부터 감당하기 힘들 때 죽고싶다는 말을 달고 살았다. 피하고 싶었던 것 같다. 맞서 싸우는 것은 무섭고 앞으로 나가기조차 버겁던 많은 순간들... 그렇게 오랜 시간을 지나왔다. 그런데 이제 조금은… 살고 싶어졌다. 살아 있으니까 뭔가 재밌는 일이 생긴다. 아주 조금이라도 웃을 일이 생긴다. 싫어도 하면 뭐라도 보상이 온다. 그렇게 죽음에 초연한 나와 살아서 재밌게 지내고 싶은 내가 싸운다. 누가 이길지 모르겠다. 어쩌면 평생 싸울지도 모르는 일이다. 왔다갔다, 나를 두고 싸운다.

나는 누구일까. 살고 싶어하는 쪽이 나일까, 죽고 싶어하는 쪽이 나일까. 하지만 확실한 것은, 살고 싶어하는 내가 죽도를 잡을 때 컨디션이 더 좋다. 움직이는 것에 희열을 느낀다. 힘들게 수련하고 나서 보람을 느끼는 것은 확실히 '살고 싶어하는 나'이다. 살아 있으니까 죽도도 잡을 수 있다. 죽은 사람은 죽도를 들지 못한다. 죽으면 아무것도 하지 못한다고 생각하는 지금의 나는 '살고 싶어하는 나'인듯 하다.

'살고자 하는 의지'를 채우기 위해 검도를 하러 간다.
내일도, 모레도, 그 다음날도….
되든 안되든, 치고 나가는거다.
움츠러들지 말고, 나와 내 칼을 믿고.
다음 목표는, 성장을 넘어 성숙한 사람이 되는 것으로 하자.
언제가 될지는 몰라도 먼 미래는 아닐 것이라고 믿는다.

제7화 상대를 이기는 세 가지 방법

오늘 저녁의 운동은 아주 긴장감이 흘렀다. 머리카락이 바짝바짝 설 만큼의 긴장감. 오늘 한 것은 세 가지. 들어가서 머리치기, 손목치기, 손목을 치고 나서 칼을 쳐내고 머리치기. 관장님 눈빛은 평소에도 매섭다고 생각했는데, 오늘 저녁은 더 매서웠다. 날카롭고 매섭게 몰아치는 목소리. 그렇게 다들 바싹 긴장하고 하나, 둘, 하나, 둘, 하나, 둘, 셋에 맞추어 머리치기, 손목치기, 손목 머리치기를 연습했다. 돌아가며 연습하는데 마주친 아이들 눈빛에 긴장한 모습이 역력했다. 다들 긴장하다 못해 약간의 공포감까지 느껴지는 분위기 속에서 아이들과 나는 더 기합 소리를 크게 넣었다. 그 분위기 속에서 자신과 친구들을 다독이듯이. 아이들이 틀리는 게 무서웠는지 눈치를 보자 눈치 보지 말라며, 자기 자신을 믿어야 한다는 말도 빼놓지 않으셨다. 자기 자신을 믿지 않으면 누구를 믿을 거냐는 말과 함께. 그게 그렇게 마음에 와 꽂혔다. 어디서든 나 자신을 믿지 않으면 누굴 믿을 수 있을까….

그렇게 연습하고 나서 짧게 짧게 이어진 시합연습. 상대방 기를 죽이고, 칼을 죽이라는 이야기를 몇 번씩 강조하셨다. 흥분한 것 같으면 흥분하지 말라는 이야기도. 기합 소리가 작으면 불호령이 떨어졌다. 상대방의 눈을 끝까지 보라는 이야기도 빼놓지 않으셨다. 아이들도 나도, 기합을 제대로 넣고 칼을 죽이기 위해 노력하고, 상대방의 눈을 끝까지 보고 움직이려고 노력했다. 어쩐지 그 긴장감 속에서 마음은 차분해졌다. 냉정하게 바라보는 방법을 조금이나마 감을 잡은 것 같았다.

꽂아칼.

마치는 자리로 가서 호면을 벗었다. 호면을 벗고 일어서서 관장님의 이야기를 들었다.

삼살법.
기를 죽이고, 칼을 죽이고, 기술을 죽인다.

기합으로 먼저 기를 죽이고, 손목을 써서 칼을 죽이고, 눈을 끝까지 보며 기술을 막고…. 그렇게 하고 나서야 내가 칠수 있다는 이야기를 하셨다. 그리고 이어진 검도는 '무도'라는 이야기. '무도'는 자기 자신을 믿어야 할 수 있는 것이라고, 나 자신이 겁이 나는 것을 달래고 이겨야 할 수 있는 것이라고 설명해주셨다. 그리고 관장님은 평소의 유쾌한 모습으로 돌아와 수업을 마치셨다. 가끔 긴장감이 넘치는 경우가 있긴 했지만, 오늘 같은 날은 처음이었다. 손에 든 죽도가 죽도가 아닌 진검이라는 생각이 들 만큼의 긴장감이었달까. 서로 진검을 들고 먼저 상대를 베어야 하는 상황이라면, 정말 오늘 저녁의 수업만큼 해야만 할수 있겠다 싶었다. 나에게는 살짝 느슨해진 마음에 팽팽한 긴장을 주는 수업이었다.

어제 들은 삼살법에 대한 보충수업(?)이 있었다. 관장님은 추가로 더 풀어서 설명을 해주셨다. 기를 죽이고, 칼을 죽이고, 기술을 죽인다. 기를 죽인다는 것은 나의 기세, 눈빛과 기합으로 상대방의 기를 죽이는 것이고, 칼을 죽이는 것은 칼을 쳐내거나 누르거나, 가까이 다가오지 못하게 만들거나. 기술을 죽이는 것은 기술을 빼앗거나 받아치는 것. 마음이 더 강하고 정신력이 더 강한 사람이 이기는 것이 무도라고 설명하셨다. 상대방이 가까이 와도 두려워하지 않고, 끝까지 상대를 보고, 내가 칠 수 있는 틈을 놓치지 않고 파고 들어가 공격하는 것. 마음이 강하고 정신력이 강하다는 것은 아무래도 두려워하지 않는 마음이 큰 것 같으니.

나는 내가 단순히 '운동'을 하는 것이 아니라, '수련'을 한다는 것이 좋았다. 기술도 갈고 닦아야 하지만 결국 마음을 갈고 닦는 것. 강한 마음에서 나오는 힘, 기술을 갈고 닦으며 마음을 강하게 하는 것. 어제 관장님은 무도는 약간 종교 같다고도 이야기 하셨는데, 무도는 '나를 믿어야 한다'고 이야기 해주셨다. 나는 이 말이 좋았다. 나를 믿어야 한다. 나를 믿고, 내 칼을 믿어야 한다…. 어제 그 살얼음판을 걷는 듯한 긴장감 속에서도, 나를 믿어야 한다는 말은 어쩐지 차갑지 않고 따뜻했다. 차가운 공기 속에서도 힘을 주는 말, '나 자신을 믿어야 한다.' 어제의 수련으로 겁을 먹은게 아니라, 마음을 성장시켰다면, 분명 배운 것을 생각해내고 나 자신을 믿고 내 칼을 믿을 수 있을 것이다.

모든 것들이 다 그렇다. 내 칼을 믿는다는 것은 결국 내 실력을 믿는다는 것이다. 내가 가진 칼, 내가 가진 기술, 갈고 닦은 실력... 그런 것들이 모두 나의 가능성과 실력을 믿는 것이다. 검도 뿐일까? 모든 것에는 내가 가진 칼이 있다. 악기를 연주한다면 내가 가진 칼은 나의 완성도일 것이다. 글을 쓴다면 나의 칼은 필력일 것이다. 회사에서 업무를 한다면 업무를 향상시키고 일에 대한 노력과 성과가 나의 칼인 것이다. 나의 칼은 무엇일까? 나는 아직 헤매고 있는 것 같다. 일단 검도의 칼을 열심히 갈고 닦아보려고 한다.

돌아가며 짧게 짧게 단판시합을 했다. 한 조씩 시합을 하고 관장님께서 이긴 쪽을 이야기해주셨다. 그리고 바꿔서 다시 또 시합.

나는 오늘도 맞은게 더 많았고, 딱 한번 퇴격머리로 이겼다. 승패를 가르지 못하기도 했다. 분명 난 많이 맞은 것 같은데…. 백지가 되던 예전과 달리, 어제 배운 것을 생각하려고 노력을 많이 했다. 난 아직 기술이 부족하니 기세와 칼이라도 어떻게 해보려고 노력해보았다. 내가 중단을 제대로 지키고 있는지, 내가 쉽게 놀라진 않는지도. 특히 상대를 끝까지 보려고 노력했다.

성과는 칼의 중심을 제대로 지키려고 자세를 잡고 있자 쉽게 들어오지 못하는 것을 본 것이다! 퇴격머리로 이긴 것 보다 내 기세가 더 세다는 느낌과, 칼의 중심을 제대로 잡고 있어서 상대가 쉽게 들어오지 못하는 것을 보는 것이 더 뿌듯했다. 이제 발을 끊임없이 상대에 맞추며 움직이는 것, 파고 들어가 치는 것을 생각하면, 조금이라도 승산이 나오지 않을까?

그리고 이어진 초등학교 고학년 아이들의 단체전. 여자 아이들 대 남자 아이들. 3:3의 단체전이었다. 간단하게 정리하자면, 여자 아이들이 이겼다. 하지만 중요한 것은 승패가 아니다. 관장님은 시합에서 진 남자 아이들에게, 거울 보고 연습한 적 있는지, 자세를 고치려고 노력 해봤는지 물어보셨다. 아이들은 그런 적이 없다고 대답했다. 관장님은 자기 자신을 바꾸지 않으면 이길 수 없다고 이야기 하시며 메달을 목에 걸고 싶다면, 스스로를 바꿔야 한다고 하셨다.

나의 오래된 버릇을 고치고, 나 스스로를 바꾸는 것. 그것을 쇄신이라고 한다. 승패보다 중요한 것은 끊임없이 나를 바꾸는 것. 무도를 수련하는 것에 있어 가장 중요한 것은 쇄신하는 것임을, 아이들의 시합을 통해 배우게 되었다. 그래서 나는 쇄신하고 있는가?

생각해보면, 시합만 하면 머리가 백지가 되었던 것은 이기고 싶다는 마음만 앞서 끊임없이 생각하는 것을 잊어버린 것이 크지 않았나 싶다. 기세를 더 강하게 하고, 중심을 지키고, 흔들리지 않고, 상대를 끝까지 보고…. 이것들은 어떻게 보면 가장 기본인데, 나는 기본도 지키지 않고 어떻게 쳐서 이길지 생각하고 있었던 것이 아닐까. 단판시합을 하며 조금이나마 더 생각하게 된 것은, 어제의 그 긴장감을 놓치지 않고 내가 조금이나마 나를 바꾸려 했던 것이 큰 것 같다.

나를 바꾼다는 것. 타성에 젖어 하던 것을 계속 하는 것이 아니라 끊임없이 나를 뒤돌아보며 좋지 않은 점과, 고쳐야 할 점을 바꿔나간다는 것은 쉬운 일이 아니다. 하지만 나에게는 '칼'이 필요하다. 그 칼이 무엇이 되었든, 끊임없이 갈고 닦는 사람에게는 빛이 난다. 칼날에서 번뜩이는 빛이 나듯, 실력과 나의 능력 자체에서도 빛이 나는 것이다. 그 번뜩이는 빛을 위해, 매일 전진하려 노력한다. 2보 후퇴하더라도 1보 전진할 수 있다면 그것은 조금이라도 이겨낸 것이다. 무엇을 이겨내든 이겨내고 나를 쇄신한 것이다. 매일 열심히 할 수는 없어도 할 때는 열심히 해서, 조금이라도 더 생각하고, 조금이라도 더 이겨내는 것.

부동심.

검도에서는 언제나 흔들리지 않는 마음을 강조한다. 부동심. 흔들리지 않고 꾸준히 갈고 닦는 마음, 시합에서는 상대를 파악하고 나의 페이스를 잃지 않는 것을 말하는 것으로 이해한다. 부동심으로 꾸준히 전진하는 것. 그렇게 쇄신하며 끊임없이 나를 갈고 닦는다면, 그것은 나의 칼이 되어 번뜩이는 칼날로 무엇이든 베어낼 수 있을 것이다. 그것이 일이 되었든, 내 생활이 되었든지간에, 마음 속에는 칼날이 있고 그 칼날은 나를 지켜줄 것이다.

제8화 될 때까지!

호구 쓰고 연습하는 시간은 정말 소중한 시간이다. 내 몸을 보호하기 위해 다 묶어놓고 단단하게 껴 입고도 몸이 부드럽게 원하는 대로 움직이도록 연습하는 것. 힘들어도 호구를 쓴다고 하면 신이 난다고 할까. 그 날은 평소보다 더 격렬하게 움직인다는 이야기니까. 땀이 등 뒤로 흐르고 숨이 거칠어져도 즐겁다. 물 생각이 엄청 간절해지긴 하지만, 간절함 뒤에 마시는 물은 정말 감로수가 따로 없다.

오늘 간만에 관장님의 "될 때까지!"라는 말을 들었다. 호구 쓰고 듣는건 처음. 사실 중간부터는 반쯤 혼이 나가 있었던 것 같다. 어떤 것을 했는지는 기억 나는데 내 움직임이 어땠는지는 기억이 안난다. 호구를 쓰면 시야가 좁아지고 잘 안 들리니까. 어딘가에 나온 대사. “받아내고 극복하면 약이 될 것이다.” 오늘 나는 일단 약이 되긴 한 것 같다.

관장님과 시합연습. 내가 검도관에 일찍 가는 이유 중 하나이다. 저녁에는 다 같이 운동하느라 관장님과 같이 연습 해 볼 기회가 없으니까. 물론 거의 받아 주시는 쪽이지만 가끔은 정신 없이 공격을 몰아치셔서, 집중하고 나의 공격을 하려는 노력을 해야 한다. 그 때가 정말 중요한데, 그 때는 거진 힘이 쭉 빠졌을 때. 그래도 한계까지 몰아친 후에 이어지는 연습에서 나의 정신력이 나오는 것 같다. 힘들어도 상대를 끝까지 보려는 노력. 그렇게 어떻게든 죽어라고 한 날은 오히려 개운하다. 땀이 흐르면서 마음의 때가 벗겨지는 기분.

레테는 그리스 신화에서 망각의 여신. 저승에 가는 이는 레테의 강물을 마셔서 이승의 기억을 지우고 저승에 간다.

검도를 하는데 웬 레테 이야기냐? 가끔 수련을 하다 보면 저승 근처에 갔다 오는 것 같은 기분이 들 때가 있어서 그렇다. 그 때는 내가 무엇을 했는지 기억도 나지 않고 정말 죽을 것 같다. 정신을 차려 보면 숨은 쉬고 있다. 그러면 아, 내가 살아 돌아왔구나…. 그렇게 생각한다. 그런데 이 기분, 나쁘지 않다.

내가 좋아하는 소설이자 웹툰, '화산귀환'에 그런 대사가 나온다.

"어때? 죽어 본 느낌이?"

가끔, 이 대사가 귀에 들리는 것 같다. 사야씨, 죽어본 느낌이 어때요?…. 제가 살아 돌아왔나요? 다행이다. 설마 죽기야 하겠어요. 하하하! 상쾌하네요….

과장 좀 보태서 말하면 그렇다. 정말 힘들어서 죽을 것 같은데, 언제 끝날지도 모르겠는데, 관장님은 계속 치라고, 약하다고, 다시! 한번 더! 다시! 한번 더! …. 팔에 힘이 다 빠져서 뻗어지지도, 무얼 하는지도 모르겠지만 그냥 어떻게든 움직여본다. 그 때 레테의 강 근처에 갔다오는 기분이다. 기억이 없다.

하지만 그렇게 하고 나면 그때서야 살아있다는 기분이 든다. 내가 살아 있다. 내가 숨을 쉬고 있다. 그 느낌이 얼마나 상쾌한지. 이마는 땀 범벅에 가끔 도복 위로 땀이 떨어지기도 하고…. 겉모습은 분명 엉망진창일텐데, 나는 정말 마음이 편하고 좋은 것이다. 내가 검도를 좋아하게 된 것은, 이 상쾌함이 좋아서라고 확신할 수 있다. 실력? 그렇게 했는데 안 늘면 이상하다. 그게 언제가 되었든지간에.

'러너스 하이'라는 효과가 있다. 극한의 고통을 넘어서면서 느끼는 행복감. 보통 마라톤 선수들이 35km지점을 넘어서면 느낀다고 한다. 오래 지속되는 운동이면 거의 경험한다고 하는데, 나는 검도를 하면서 '러너스 하이' 비슷한 것을 느낀 것 같다. 그러지 않고는 정말 죽을 것 같은데, 레테의 강 근처까지 간 것 같은데, 강물 마시기 직전인데, 이렇게 좋아할 리가 없다.

격한 수련 뒤에 숨을 고를 때의 행복감. 이게 좋아서라도 멈출 수 없을 것 같다. 몸이 허락하는 한, 한계의 한계까지 가보고 싶은 마음이다.

제9화 끊임없이 나를 마주하는 일

시작하고 시간이 지나면서 자연스럽게 알게 되는 것이 있다. 처음에 나는 그것이 수학이었다. 수업시간에 배울 때에는 정말 이해가 하나도 가지 않던 것, 시간이 흐르고 나이가 들어 다시 마주 하니 신기하게도 이해가 되는 부분들이 있었다. 그 뒤로 나는 수학을 포기한 것에 약간 미련이 남았다. 이 복잡한 듯 단순한 수의 세계의 문을 닫아버리지 않았다면, 세상이 조금 더 재미있었을지도 모르는데. 그 약간의 미련은 뒤늦게나마 미분 문제를 끙끙거리며 풀어보고 나서야 조금이나마 해소하게 되었다.

그리고 그 이후 한참이 지나 시작한, 처음으로 배우는 격투기, 검도. 그것도 단순 격투기도 아닌 무도武道. 나는 무술에서 도를 찾는다고 이해했다. 무도에서 정신수양은 빼놓지 않는 부분이다. 내 마음을 먼저 다스리고, 더 강한 기세로 상대를 제압하고, 그 후에야 연마한 기술을 써서 이기는 것. 물론 시합은 룰이 있는 스포츠의 면도 있다. 하지만 단순한 스포츠라고 하기도 어렵다. 분명 마음, 심리가 작용하는 부분이 크기 때문에.

검도를 하고 얼마 되지 않았을 때와 이제 거의 반 년이 지난 6개월 차인 지금의 나는 정말 다르다. 달라진 것은 정말 많다. 그 중에서 정말 도道라는 이름이 어울린다고 생각한 것들이 몇 가지 있다. 시간이 지나면서 몸에 배어들게 되는 좋은 습관과 이해하게 되는 것들이 많았다. 내가 가장 손에 꼽는 것. 바로 끊임없이 나 자신의 약한 면과 마주하는 일이었다. 검도는 격투기이다. 격투기는 강한 사람이 이긴다. 상대방보다 무엇이든 조금이라도 잘 하는 것이 있어야 하고, 무엇이라도 강한 면이 있어야 한다. 그렇게 강해지기 위해서는 나의 약한 면과 마주해야 했다. 약한 마음, 약한 체력, 아직은 많이 발달하지 않은 나의 운동신경. 계속 마주하기 싫은 것과 마주해야 했다. 하지만 이렇게 마주하지 않으면 절대 나는 강해질 수 없다.

검도를 시작하고 첫 두 달 정도는 시키는 대로 하기만 했다. 처음이니 아는 것이 있을 리가 없다. 기초를 익혀도 그 기초가 어떤 것인지 몰랐다. 그 때는 배우는 것 자체로 즐거움을 느꼈던 시기였다. 아무 생각 없이 일지를 적기 시작했다. 배운 것을 되돌아보고, 내 몸이 어떻게 움직였는지 기록하고, 그 때 내 마음은 어땠는지 적어가면서 점점 나는 끊임없이 나의 약한 모습들과 마주하게 되었다. 배운 것에 대한 글을 쓰지 않았더라면, 시간만 지나가고 나 자신을 마주하는 일은 외면한 채로 그저 그렇게 '수련'이라기 보다는 '운동'을 했을지도 모른다. 호구를 쓰고 시합을 하는 것에 부담을 많이 느꼈을지도 모르고, 시합을 싫어했을지도 모른다. 나는 내가 경쟁심이나 승부욕 같은 것이 적다고 생각했는데 아니었다. 내가 외면하고 있었을 뿐, 나는 사실 정말 이기고 싶어 하고, 잘 하고 싶어했다. 다만 약하기 때문에 나의 그런 모습들을 외면했던 것이다.

나의 약한 모습을 마주하는 일은 고통스럽다. 특히 생각으로만 나의 모습을 마주하기는 더 힘들다. 하지만 검도를 시작하고, 육체적으로 약한 모습부터 차근차근 마주보기 시작했다. 약한 체력은 직접 겪었으니 당연히 내가 인정할 수밖에 없었다. 금방 숨이 차고, 머리가 어지럽고 눈 앞이 노랗게 어지러워지는 것을 경험하면서 나 자신의 약한 체력과 마주했다. 그리고 결국 마주한 그 모습을 조금이나마 극복했다. 처음에 너무 약해 초등학생용 죽도를 쓰던 내가 지금은 성인용 죽도를 쓴다. 전보다 강해진 것이다.

시합은 어쩌면 약한 마음을 마주하는 일이 될지도 모르겠다. 처음엔 당연히 지기만 한다. 몇 초만에 맞고 졌다. 나는 일단 나의 승패에 초연했다. 어쩌면 나 자신에게 그렇게 기대하지 않았던 것 같기도 하다. 어차피 질 텐데 뭐. 나는 아는 것도 없고 기술도 없잖아. 하지만 나의 솔직한 마음, 약한 마음과 마주하는 데는 꽤 시간이 걸렸다. 점점 이기고 싶어 하는 것이 글에서 묻어났다. 대회를 기점으로 조금씩 생각이 바뀌고, 이기고 싶어하고, 이기고 싶어서 수련 시간을 늘리고, 더 많이 연습했다. 이제는 솔직하게 말할 수 있다. 이기고 지는 것이 중요하지는 않지만, 나는 이기는 쪽이 더 좋다. 이기는 것은 재미있다. 지면 아쉽다. 이기고 싶어 하는 마음을 인정 하면서도, 시합을 할 때 마음을 다스리고 나가야 했다. 그렇게 나는 최근에 몇 번의 승리를 경험했다.

시간이 흐르며 몸이 '움직이는 몸'으로 바뀌고 나니, 내 운동신경이 활성화 되었는지 갑자기 실력이 탈피하듯 훅 늘었다. 전보다 기술 연습을 할 때 따라하기가 조금 수월해졌다. 전에는 내가 너무 느리다고 생각해서 조급해졌었다. 그러니 더 되지를 않았다. 남들 두 번 할 때 나는 천천히 한 번이라도 제대로 해야지, 그렇게 생각하고 연습을 했다. 그런데 최근에는 움직임 자체가 달라졌다. 머리치기 기술과 퇴격을 연습하는데 머리치기 기술 연습 때는 죽도 거리만 조금 맞추면 되었고, 퇴격 연습은 정말 재밌었다. 몸이 내 마음대로 움직여 주었다! 연격도 호구를 쓰고서 빠르고 부드럽게 움직이는 것을 느꼈다. 몸에 쓸데없는 힘이 빠졌나 싶기도 하다. 잘 해야 한다는 마음을 비우는 것도 나 자신을 마주하는 일이다. 마음대로 움직여주지 않는 몸을 기술 연습때마다 매번 마주했다. 그리고 또 한 단계 성장했다.

시간이 흐름에 따라 조금씩 이해되는 것도 생기기 시작했다. 특히 기본기들. 모든 것은 탄탄한 기본기에서 시작한다는 사실을 한참이 지나서 죽도에서 바람 소리가 날 때야 깨달았다. 팔만 휘적거려서는 아무것도 되지 않는다는 것. 내 몸이 같이 가야 한다는 것. 머리로는 이해하는데 몸이 따라주지 않는 것도 있었고, 몸이 직접 이해하는 데에도 시간이 꽤 걸렸다. 그렇게 이제는 조금이나마 '타격'이라고 불러줄 정도가 되었다. 나는 처음으로 무도, 격투기를 해보는 것이었고, 처음으로 약한 나를 마주했다. 전에는 외면하던 내 모습. 이제는 매일 나를 마주보고, 나를 다독이고 인정한다. 그래, 나는 이런 부분이 약해, 그러면 어떻게 하면 할 수 있을까? 나 자신과 끊임없이 마주하고 끊임없이 대화한다. 그러면 시간의 흐름에 따라 늘기도 하고 연습에 따라 늘기도 한다. 그렇게 어느새 한 뼘 더 성장한 나를 만나기도 한다.

끊임없이 약한 나를 마주하고, 그 약한 나를 인정하고, 강해지기 위해 노력하는 것. 그렇기에 단순히 운동이 아니라, 수련이라고 말하는 것 아닐까.

제10화 나를 지키기 위해

처음에 검도를 시작할 때는, 운동을 해야할 것 같은데 피티 받기는 싫고 격투기 종류를 배워보고 싶었다. 몸만 만들기보다 뭔가 익혀서 써보고 싶었다. 그러다 운동뚱에서 검도편을 보고 어릴 적 검도를 하고 싶었던 것이 생각이 났다. 그렇게 처음에는 운동으로 시작했다.

점점 검도는 내 생활 일부분이 되었다. 하루라도 도장에 나가지 않으면 몸이 찌뿌둥해졌다. 체력이 늘고, 근육이 늘고, 몸무게가 줄었다. 정신적으로도 성장했다. 이제 나는 나를 지키기 위해 검도를 한다.

나를 지킨다는 것은 무수히 많은 뜻을 가진다. 몸을 지킨다는 이야기가 먼저 떠오를지도 모르겠다. 하지만 호신에 대한 것은 맨 나중이다. 나를 지킨다는 것은 나에게 내 정신을 지키고 내 마음을 지킨다는 뜻이다. 나를 나로 있게 만드는 것. 소용돌이 속에서도 나를 꿋꿋하게 지키기 위해서 검도를 한다.

때로 무너지고 때로 힘들때도 있다. 마음이 안 좋을 때는 도장에 조금 일찍 간다. 죽도를 쥐고 기본기를 하거나 내 손의 파지법을 확인하거나 발을 운용하는 방법을 연습한다. 그러면 다른 생각이 들지 않는다. 주저앉고 싶을 때, 죽도를 쥐고 버틴다. 날아오는 안 좋은 생각들을 쳐내기 위해서, 마음 속으로도 죽도를 들고 열심히 쳐낸다. 그렇게 한 두 시간 지나면 땀과 함께 개운해진다.

두려울 때도 있다. 그래도 나중 일이라고, 하루를 충실히 살아보자고 다짐해본다. 쌓인 하루 하루가 모여 나를 만든다. 검도로 쌓은 시간이 벌써 10개월째다. 조금 더 단단해지고 조금 더 솔직해졌으며 조금 더 과감해지고 조금 더 용기가 생겼다.

관장님과의 대화. 칼은 매일 갈고 닦지 않으면 녹이 슬어버린다. 나는 그 말을 듣자마자 이것은 검도의 본질이라고 생각했다. 죽도에 무슨 날이 있냐 하겠지만, 죽도를 쓰건 진검을 쓰건 중요한 것은 내가 칼을 쓰는 능력이다. 칼을 쓰는 능력이야말로 칼을 갈고 닦는 일이다. 죽도를 들더라도 날카롭게 느껴지고, 도저히 칼을 넣을 수 없다고 느껴지는 것이 갈고 닦은 칼인 것이다.

나는 이제 겨우 9개월 정도. 나름 열심히 갈고 닦았다고 하지만, 잘 모르겠다. 어떤 날은 칼이 잘 나간다는 느낌을 받거나 내 마음대로 된다는 느낌도 받는데, 어떤 날은 어디에 턱 막힌 것마냥 아무것도 되지 않는 날도 있다. 그래도 한번씩 시합연습을 하거나 시합을 할 때 내가 넣고 싶은 대로 칼을 넣는 경우가 조금씩 늘고 있어서, 이게 내가 갈고 닦은 칼인걸까 싶다. 정말 가끔이지만.

매일이 교정의 연속이고, 매일이 좌절의 연속이기는 해도 검도는 재미있다. 점점 긴장 상황에서 내 뜻대로 조금씩이라도 움직이는 내 몸이 좋다. 칭찬이 1, 지적이 9라도 칭찬 1로 기분이 좋고 지적 9는 고치면 되는거지! 하는 생각으로 도장에 나간다.

어느 날은 집중이 잘 안될 때도 있고, 어느 날은 집중이 잘 될때도 있다. 사람 컨디션이 매일매일 똑같을 수는 없다. 그래도 내가 할수 있는 것은 꾸준함. 꾸준함은 습관을 만들고 습관은 나를 바꾼다. 잘 안될 때 칼을 더 쓰라는 이야기를 생각한다. 힘들 때 몸을 더 움직이면 어느새 또 잘 되는 나 자신을 발견한다. 매일 매일이 쇄신과 나 자신과의 싸움이다. 그리고 잘 될때도, 잘 안될때도 그냥 하고 있는 나 자신을 보면 뿌듯하다.

매일매일 갈고 닦는 칼. 그것은 꼭 검도만의 이야기는 아닐 것이다. 내 습관도, 내 마음도 매일매일 갈고 닦는 것이겠지.

칠 준비를 해야 한다, 칠 자세를 만들어야 한다, 칠 거리를 주지 말아야 한다…. 이 모든 것을 생각하다 보면, 검도란 것은 생각보다 더 무서운(?) 것이구나 싶다.

칼을 살려야 한다, 혹은 칼을 풀지 마라…. 이런 표현들도 생각해보면, 언제나 상대의 공격에 대비해야 한다는 것. 상대의 공격은 차단하면서 나는 공격할 수 있게 만드는 것을 강조하는 것이다.

이런 것들은 확실히 검도라는 것이 무도의 성질을 가질 수밖에 없다는 생각이 든다. 스포츠화 된 면이 있기는 하지만, 결국 무기를 들고 방어구를 입고 싸우는 것이다. 옛날 정말 칼을 가지고 싸우던 시절 상대가 치명타를 입고 죽었을 것을, 심판이 대행함으로써 마무리가 된다. 운동이라기보다 무도의 성격이 강할 수밖에 없다.

죽도는 칼이고, 칼은 나를 지켜주는 무기다. 호구는 방어구다. 내가 죽지 않게 지켜 준다. 그렇기에 죽도는 함부로 넘어 다니지 않으며, 호구는 단정하게 정리해야 한다. 나를 지키고 상대를 제압하는 방법을 가르쳐 주는 스승에게 예를 다하고 같이 검을 수련하는 사람들에게 예를 다한다.

단순한 운동이라고 표현하기 어려운 것이, 내가 천가지 만가지 기술이 있다고 한들 내가 칼을 쓰지 못하면 아무것도 되는 것이 없다. 시합에서 맞는다, 그것은 사망이라는 말과 같다. 내가 죽지 않기 위해서는 빠르게 움직이고 빠른 칼을 써야 하며 빠르게 판단해야 한다. 그러려면 나를 믿고 내 칼을 믿고 나서야만 한다. 시합에 들어가는 순간 움직이는 것은 나와 상대 뿐이기에.

단순 운동이라고 생각하면 검도에서의 예는 유난스러울 수도 있다. 하지만 달리 생각해보자. 검을 쓰는 법을 익힌다는 것은, 정말 사람을 죽일 수도 있는 기술을 익히는 것이기에 예절을 깍듯하게 지켜야만 한다. 오래 수련한 사람에 대해 예를 지키는 것은, 어떻게 보면 수많은 죽음을 반복하고 이겨내 온 사람에 대한 예라고 생각해보면 어떨까. 절로 존경심이 생기지 않을까.

나는 검도를 단순 운동이라고 생각하지 않는다. 결국 칼을 쓰는 사람들이기에, 오히려 예의가 더 필요한 것이다. 칼부림이라도 나면 큰일이니까(물론 이것은 농담이다.) 검도를 수련하는 사람은 항상 예의바르게 행동해야 한다. 농담처럼 이야기 하기는 했지만, 치명타만 골라 친다는 것만 생각해봐도 단순 운동하고 비교하기에 검도는 너무 무겁지 않은가.

하루를 살아내고 한 달을 살아내고 한 해를 살아내기 위해, 나를 지키기 위해, 죽도를 쥐고 일어나고 넘어져도 다시 일어난다. 삶의 의지를 불태우며.

작가의 말

검도에서는 1단을 초단이라고 합니다. 제가 검도를 시작한 지도 벌써 1년이 지나 2년차가 되었습니다. 아직 저는 초단이 되려면 한 번의 승급이 남았습니다. 그 전에 저를 되돌아보며 마음을 새롭게 하기 위해 그 동안 썼던 일기, 에세이를 고르고 골라 '초단 여정'의 첫 부분을 냅니다.

저는 제가 작가라고 생각한 적이 없었습니다. 그저 검도가 좋아 검도를 했고, 글을, 혹은 일기를 남기면 내가 더 잘 할 것같아 쓴 것이 글이었습니다. 그런데 어느 날 관장님께서 말씀하셨습니다.

"저는 사야 씨를 작가라고 소개했어요."
이 말에 힘을 얻었습니다. 더 잘 쓰고 싶어졌습니다. 좋은 글,

내가 깨닫고 힘을 얻은 만큼, 다른 사람들에게도 그런 힘을 주는 글을 쓰고 싶어졌습니다. 이 글들이 그런 글인지는 읽는 분들만이 아실테지요. 하지만 분명한 것은, 저는 글을 쓰며 많은 위로를 받았고, 글을 쓰며 저를 돌아보고, 쓴 글을 읽어보며 다시 한 번 저를 다잡았습니다. 저는 저의 독자기도 했습니다. 저는 가끔 저의 글을 읽으며 힘을 냈습니다. 저를 우울증의 늪에서 꺼내준 것은 검도와 글이었습니다.

글을 정리하며 내가 이런 글을 썼던가? 하는 생각도 했습니다. 그만큼 제가 검도를 수련하는 모든 순간이 깨닫고 또 위로가 되는 시간이었습니다.

제가 수련을 하고 글을 쓰는 이 모든 시간, 저를 도와주시고 이끌어주신 대한검도회 연청검도관 김효섭 관장님께 감사드리며 이 책을 바칩니다.